Bienvenue
dans le monde des

Téa Sisters

ALBIN MICHEL JEUNESSE

Salut, c'est Téa, la sœur de Geronimo Stilton ! Je suis envoyée spéciale de «l'Écho du rongeur», le journal le plus célèbre de l'île des Souris. J'adore les voyages et j'aime rencontrer des gens du monde entier, comme les Téa Sisters. Ce sont cinq amies vraiment épatantes. Je vous les présente !

Colette a une vraie passion pour le rose et c'est la fille la plus *fashion* du groupe. Toujours occupée à soigner son look, elle est sans cesse en retard !

Violet aime étudier et découvrir sans cesse de nouvelles choses. Elle aime la musique classique et rêve de devenir une grande violoniste !

Paméla mangerait sa pizza adorée même au petit déjeuner. C'est une mécanicienne accomplie. Donnez-lui un tournevis et elle vous réparera n'importe quel moteur !

PAULINA est un peu timide et brouillonne, mais aussi très altruiste. Comme elle aime voyager, elle connaît des gens de tous les pays.

Nicky est passionnée d'écologie et de nature. Elle vient d'Australie et aime la vie au grand air. Elle ne tient pas en place !

Téa Sisters

Texte de Téa Stilton.
*Basé sur une idée originale d'*Elisabetta Dami.
*Coordination des textes d'*Alessandra Berello *(Atlantyca S.p.A.), avec la collaboration
d'*Arianna Bevilacqua.
Sujet et supervision des textes de Mariella Martucci.
Coordination éditoriale de Patrizia Puricelli.
Édition de Maria Ballarotti, *avec la collaboration de* Maura Nalini.
Coordination artistique de Flavio Ferron.
Assistance artistique de Tommaso Valsecchi.
Couverture de Giuseppe Facciotto.
Illustrations intérieures de Barbara Pellizzari, Valeria Brambilla *(dessins)*
et Francesco Castelli *(couleurs).*
Graphisme de Chiara Cebraro.
Cartes : Archives Piemme.
Traduction de Béatrice Didiot.

www.geronimostilton.com

Pour l'édition originale :
© 2013, Edizioni Piemme S.p.A. – Palazzo Mondadori, Via Mondadori, 1 – 20090 Segrate, Italie
sous le titre *Cinque cuccioli da salvare*
International rights © Atlantyca S.p.A. – Via Leopardi, 8 – 20123 Milan, Italie
www.atlantyca.com – contact : foreignrights@atlantyca.it
Pour l'édition française :
© 2015, Albin Michel Jeunesse – 22, rue Huyghens, 75014 Paris
Blog : albinmicheljeunesse.blogspot.com
Loi 49-956 du 16 juillet 1949 sur les publications destinées à la jeunesse
Dépôt légal : premier semestre 2015
Numéro d'édition : 21312
Isbn-13 : 978 2 226 25883 0
Imprimé en France par Pollina S.A. en janvier 2015 - L70475A

Téa Stilton

PASSION VÉTÉRINAIRE

ALBIN MICHEL JEUNESSE

UNE VISITEUSE PARTICULIÈRE

Était-ce dû à sa  MER cristalline, à sa végétation riche en couleurs, à son PITTORESQUE petit port et à ses charmantes ruelles pavées ? Ou encore à ses **paysages** à couper le souffle et à la gentillesse de ses habitants ? En tout cas, une chose était certaine : l'île des Baleines avait quelque chose de **MAGIQUE**. Tous ceux qui s'y rendaient finissaient tôt ou tard par y REVENIR.

Souvenir de l'île des Baleines

Parmi tous ses visiteurs, il y en avait une, très PARTICULIÈRE, qui passait saluer ce petit COIN de terre perdu au cœur de la mer des Vibrisses vibrantes... tous les cent ans : la comète Poussière d'azur !

Depuis la dernière fois que ce corps céleste avait traversé le ciel, il s'était passé 99 ans et 364 jours.

Toute la population de l'île comptait donc les dernières heures qui la séparaient de son prochain passage.

Certains prévoyaient d'attendre l'apparition NOCTURNE couchés sur le sable humide d'une plage, d'autres en **PYJAMA** et pantoufles à la fenêtre de leur chambre.

Au collège de Raxford, tous les pensionnaires s'organisaient pour profiter au mieux de cet événement...

– SACS DE COUCHAGE ? demanda Nicky en consultant la liste de ce qu'il fallait pour dormir à la belle étoile.

– Prêts ! répondit Paulina.

– **TORCHES** ? s'enquit encore Nicky.

– Aussi ! dit Violet.

– Et moi, j'emporte de quoi **grignoter** ! ajouta Pam en ouvrant un sac à dos rempli d'en-cas.

PRÊTS !

– Nous ne passons qu'une nuit **DEHORS**, pas une semaine ! la taquina Violet.

– On en reparlera quand tu auras découvert la saveur de ces biscuits au chocolat ! répliqua son amie en riant.

– Parfait ! conclut Nicky en parcourant sa feuille une dernière fois afin de s'assurer qu'il ne leur manquait rien. Je pense qu'on peut y all…

– Une seconde ! l'interrompit Colette. J'ai oublié une chose essentielle !

Sur ces mots, la jeune fille se *PRÉCIPITA*

PROVISIONS !

dans sa chambre et revint, quelques minutes plus tard, avec une MALLETTE rose métallisé.

– Qu'est-ce que c'est ? demanda Paulina, intriguée.

– Un « KUB » ! s'empressa de répondre Colette en ouvrant le petit bagage.

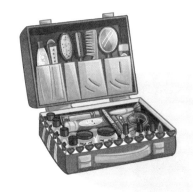

Dévoilant à ses **com-pagnes** les brosses à cheveux, crèmes pour les mains, limes et autres accessoires qu'il contenait, elle expliqua :

– C'EST UN « KIT URGENCE BEAUTÉ » ! Pas question que la comète me trouve avec des nœuds dans les cheveux ou un ongle **CASSÉ** !

Nicky, Paulina, Violet et Pam échangèrent un **sourire** entendu.

Pas de doute : même en escaladant l'*Everest*, Colette serait tirée à quatre épingles !

UNE NUIT PLEINE DE SURPRISES !

Il faisait déjà nuit quand les Téa Sisters et leurs amis **PARVINRENT** au lieu choisi pour attendre le passage de la comète. Il s'agissait d'une clairière couverte d'**HERBE** tendre.

– **WAOUH !** s'exclama Paulina en contemplant le ciel illuminé.

– La voûte céleste paraît si **PROCHE** qu'on a envie de tendre le bras pour cueillir une étoile ! renchérit Violet.

Comme la comète ne devait survoler l'île qu'environ

ELLES SEMBLENT SI PROCHES !

deux heures plus tard, ses observateurs patien-
tèrent en discutant, allongés sur leurs SACS DE
COUCHAGE.
Toutes les voix se turent quand Nicky annonça
finalement :
– La voici !
Plongés dans le plus parfait SILENCE, les Téa Sis-
ters et leurs camarades contemplèrent avec extase
Poussière d'azur zébrer le firmament de son
étincelante queue bleue et blanche. À cet
instant, ils eurent la certitude qu'aucun d'entre
eux n'oublierait jamais ce merveilleux spectacle !
Lorsque ce fut fini, tous étaient si électrisés
qu'ils n'avaient plus du tout envie de dormir.
– Si on se racontait une histoire qui fait PEUR !
proposa Pam. L'atmosphère est parfaite !
Son idée fut accueillie avec grand enthousiasme.
Une fois que le GROUPE eut formé un cercle,
Craig prit la parole.

– Il était une fois dix amis, commença le garçon d'une voix caverneuse, qui avaient décidé de passer une nuit dans la forêt… sans avoir la moindre idée de ce qui les attendait !

– Je ne veux pas entendre, je ne veux pas entendre, je ne veux pas entendre ! débita Colette en se bouchant les oreilles.

Puis, la curiosité l'emportant, elle retira ses mains.

– Qu'est-ce qui les attendait ?

– Tout semblait calme, reprit Craig, mais alors qu'ils étaient sur le point de s'endormir, ils entendirent une PLAINTE au loin…

À cet instant, un gémissement

ILS ENTENDIRENT…

résonna au fond de la CLAI-RIÈRE.

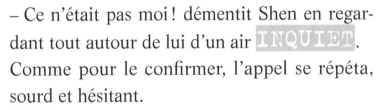

Je ne veux pas entendre !

– Arrête, Shen ! Ce n'est pas drôle ! Le récit de Craig est déjà assez **ANGOISSANT** sans que tu t'y mettes ! s'écria Colette, convaincue que ce qu'ils venaient d'entendre était une BLAGUE du garçon.

– Ce n'était pas moi ! démentit Shen en regardant tout autour de lui d'un air INQUIET.

Comme pour le confirmer, l'appel se répéta, sourd et hésitant.

Nicky écouta attentivement.

– Ça vient de la forêt ! observa-t-elle.

– On dirait le cri d'un animal en détresse ! ajouta Paulina en bondissant sur ses pieds.

Sans perdre un instant, le groupe s'enfonça dans le bois en **suivant** le faible son.

– Par ici, vite ! indiqua Violet en arrivant près d'un gros chêne.

Le reste de la troupe la rejoignit et découvrit, pelotonné entre les racines de l'arbre, un renardeau glapissant de peur.

– Pauvre petit ! Il a dû se perdre ! dit Paulina en s'approchant précautionneusement de l'animal.

– N'aie pas peur, mon mignon, murmura tendrement Nicky en s'accroupissant près de la petite bête au PELAGE fauve.

Un renardeau
à secourir

Éclairant délicatement le corps du petit **animal** avec sa torche, Nicky l'examina et découvrit que le jeune renard, ou plutôt la jeune renarde, était blessée à une patte.

ET VOILÀ !

– Il faut la garder bien au chaud dans une **COUVERTURE** en se gardant de la toucher. Sinon, sa mère risque de ne plus reconnaître son **ODEUR**, expliqua la jeune fille, tandis que la pauvre bête FIXAIT ses sauveteurs d'un air terrifié.

– Ça a dû lui arriver quand elle était loin de sa tanière, si bien que sa **maman** a perdu sa trace ! ajouta Violet.

– Comment peut-on l'aider ? demanda Vik.

Repensant à l'une des notions FONDAMEN-TALES qu'elle avait apprises en devenant membre de l'association écologiste des Souris bleues, elle répondit en soupirant :

– Généralement, on évite de soustraire un animal à son **HABITAT**... Mais dans ce cas, je dirais qu'il faut l'intervention d'un VÉTÉRINAIRE !

– Mais enfin... comment en trouver un à pareille heure ?! s'inquiéta Shen.

– Le professeur Van Kraken pourra peut-être nous aider ! suggéra Nicky. Même s'il est spécialiste de la faune Marine, il connaît certainement quelqu'un qui s'occupe des mammifères terrestres !

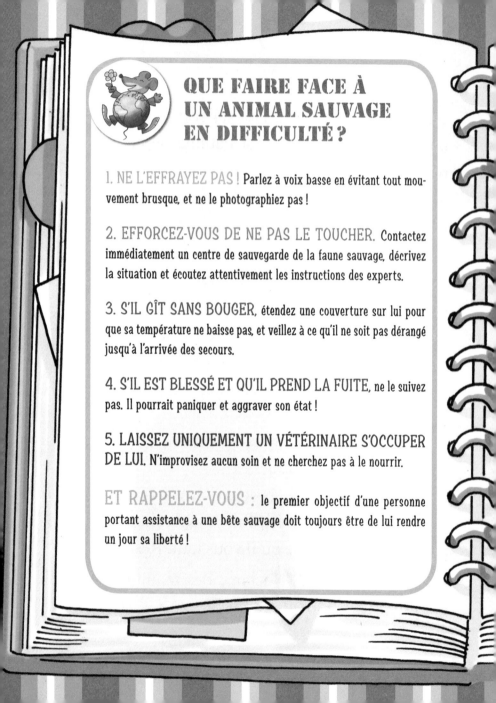

QUE FAIRE FACE À UN ANIMAL SAUVAGE EN DIFFICULTÉ ?

1. NE L'EFFRAYEZ PAS ! Parlez à voix basse en évitant tout mouvement brusque, et ne le photographiez pas !

2. EFFORCEZ-VOUS DE NE PAS LE TOUCHER. Contactez immédiatement un centre de sauvegarde de la faune sauvage, décrivez la situation et écoutez attentivement les instructions des experts.

3. S'IL GÎT SANS BOUGER, étendez une couverture sur lui pour que sa température ne baisse pas, et veillez à ce qu'il ne soit pas dérangé jusqu'à l'arrivée des secours.

4. S'IL EST BLESSÉ ET QU'IL PREND LA FUITE, ne le suivez pas. Il pourrait paniquer et aggraver son état !

5. LAISSEZ UNIQUEMENT UN VÉTÉRINAIRE S'OCCUPER DE LUI. N'improvisez aucun soin et ne cherchez pas à le nourrir.

ET RAPPELEZ-VOUS : le premier objectif d'une personne portant assistance à une bête sauvage doit toujours être de lui rendre un jour sa liberté !

Paulina appela l'enseignant sur son **portable**.

– Bonsoir, professeur, c'est Paulina. Je ne vous réveille pas ?

– La nuit de la **COMÈTE**, aucune chance ! répondit celui-ci d'une voix claire et enjouée. Je me suis installé à l'observatoire astronomique pour profiter du spectacle ! Mais dis-moi, as-tu besoin de quelque chose ?

– Eh bien, oui ! Il s'agit d'une urgence.

Elle lui raconta alors la découverte de la petite renarde blessée.

– D'après nous, elle a besoin d'être soignée.

– Mmm, voyons… réfléchit le chercheur. J'ai peut-être la personne qu'il vous faut. Restez sur place, je vous rappelle !

En attendant d'avoir de ses **nouvelles**,

le petit groupe veilla sur le bébé animal en s'efforçant de ne pas faire de BRUIT pour ne pas le déranger.

– Reste tranquille, ma jolie, murmura Violet. Bientôt, tu guériras et nous t'aiderons à retrouver ta maman, tu verras !

– Mais si nous devons nous occuper de toi, il faut te trouver un nom… chuchota Nicky. Nous t'appellerons… Comète !

Visite
à domicile

Après avoir achevé sa conversation avec Paulina, Ian Van Kraken s'empressa de **composer** un autre numéro.

– Salut, Olly ! C'est Ian ! Pardonne-moi de t'appeler à une heure indue, mais mes étudiants ont besoin de toi…

Ancienne **camarade** d'études de l'enseignant, Olly venait de s'installer sur l'île des Baleines, où elle avait ouvert une CLINIQUE vétérinaire.

– Quel est le problème ? s'enquit la praticienne. Ce soir, je suis de garde ; au besoin, je peux faire une **VISITE** à domicile.

Quand son ami lui eut exposé la situation, elle répondit sans hésiter :

– Je passe te prendre et on y va !

Prévenus de leur arrivée, les jeunes sauveteurs **envoyèrent** Craig et Shen attendre le professeur Van Kraken et la vétérinaire à la lisière de la forêt.

Au bout de quelques minutes, les deux garçons entendirent le **VROMBISSEMENT** toujours plus proche d'un moteur, puis aperçurent la fourgonnette médicale.

– Tu dois être Comète ! s'exclama Olly, quand Craig et Shen l'eurent **menée** auprès de la petite renarde.

Sous le regard attentif des Téa Sisters et de leurs amis, la jeune femme se mit à examiner l'animal.

– Elle s'est foulé la **PATTE** ! finit-elle par diagnostiquer. Avec un bon bandage, elle guérira vite. Et quand elle aura repris des forces, nous tâcherons de la rendre à sa **maman** !

– Où la gardera-t-on dans l'intervalle ? demanda Colette.

– Ne vous inquiétez pas pour cela : mon LOCAL est petit, mais j'arriverai bien à lui trouver une place ! répondit la praticienne.

Tu guériras vite !

– Merci, Olly ! déclara Violet, soulagée. J'ignore ce que nous aurions fait sans VOUS.

– Vous vous êtes très bien débrouillés en m'attendant ! Rares sont les personnes sachant gérer ce genre de situations ! répliqua la VÉTÉRI-NAIRE.

– *Tu as tout à fait raison !* s'exclama Ian Van Kraken. Et il ne tient qu'à nous d'augmenter leur nombre : pourquoi ne viendrais-tu pas prochainement au collège, donner une CONFÉ-RENCE sur les premiers secours vétérinaires ?

DEUX OFFRES DIFFICILES À REFUSER !

Persuader Olly de faire une **intervention** à Raxford n'était pas une mince affaire. Non pas parce qu'elle ne voulait pas **RENCONTRER** les étudiants du collège, mais parce qu'elle se sentait plus *à l'aise* parmi les chiens, les petits lapins et les oiseaux que sur une estrade !

MERCI, MAIS...

– Merci, Ian ! Mais je n'ai rien de spécial à raconter… répondit-elle en *rougissant* derrière ses lunettes.

– **JE NE SUIS PAS D'ACCORD !** intervint Nicky. Prendre soin des animaux est un travail très particulier : tout ce que vous pourrez nous en dire sera bon à ENTENDRE !

– Bien parlé, Nicky ! s'exclama Paulina. C'est aussi notre avis. Pas vrai, les filles ?

– Absolument ! répondirent en CHŒUR les trois autres Téa Sisters.

Le professeur Van Kraken adressa un CLIN D'ŒIL à son amie.

– À ce stade, tu ne peux plus refuser !

– Dans ce cas... j'accepte ! répondit la vétérinaire, flattée.

La conférence qu'Olly dispensa, quelques jours plus tard, dans la salle de *biologie* marine confirma le point de vue de Nicky. La jeune vétérinaire avait une foule de connaissances fascinantes à partager avec les étudiants !

Écoutant d'une oreille **ATTENTIVE** chacune de ses paroles, ils apprirent la marche à suivre

pour **SECOURIR** de leur mieux un animal en détresse.

À la fin de sa présentation, garçons et filles assaillirent la praticienne de toutes sortes de questions.

L'une voulait savoir à quel moment elle avait choisi de DEVENIR vétérinaire, un autre réclamait des conseils pour se lancer dans la carrière, une troisième tenait à connaître son **ANI-MAL** préféré.

La rencontre avec ce médecin des animaux, qui leur avait si spontanément transmis l'**amour** de son métier, fut si captivante que de nombreux étudiants s'attardèrent dans le couloir pour prolonger la discussion.

– Promettez-nous de REVENIR bientôt ! supplia Colette, tandis qu'Olly s'apprêtait à rentrer à la clinique pour voir comment se portaient Comète et ses autres patients.

– Je ferai tout mon possible, dit-elle. Mais j'ai toujours **beaucoup** de travail et je ne peux compter que sur moi ! Pourquoi ne viendriez-vous pas plutôt me rendre une petite visite ?

– Voire **plus** ! suggéra Nicky après un moment de réflexion. Si vous voulez, nous pouvons

proposer aux élèves de venir vous aider à tour de rôle… tous les après-midi !

– C'est une excellente idée ! s'écria Craig. Ainsi, nous APPRENDRONS à prendre soin de nos amis à quatre pattes !

– Et nous VERRONS Comète tous les jours ! renchérit Violet.

– Qu'en pensez-vous, Olly ? s'enquit Paulina, pleine d'espoir. On peut ?

La vétérinaire sourit et, adressant un regard entendu au professeur Van Kraken, elle répondit :

– Eh bien, Ian, on dirait qu'une fois de plus je ne peux pas me défiler !

DES VOLONTAIRES...
PEU MOTIVÉES !

La perspective de passer plusieurs après-midi par **SEMAINE** à aider Olly avait soulevé l'enthousiasme des Téa Sisters, mais guère celui de Vanilla et de ses **amies** !

La simple idée de se retrouver au milieu d'une foule d'animaux avec d'autres apprentis VÉTÉRINAIRES leur faisait dresser les cheveux sur la tête ! C'est pourquoi elles se gardèrent bien d'adhérer à cette initiative.

Ainsi, tandis que Colette, Pam, Nicky, Violet, Paulina et les autres s'apprêtaient à se rendre pour la première fois à la clinique

« Compagnons en forme », Vanilla et ses amies se consacraient à de tout autres **préparatifs**…

– Alan, peut-on savoir pourquoi tu n'as pas encore déplacé les lits ?! GLAPIT Vanilla.

– Excusez-moi, mademoiselle, répondit le majordome, essoufflé. Mais comme cette armoire est très lourde, il m'a fallu plus de temps que prévu pour la bouger…

– Encore une **excuse** pour se la couler douce !

POUF… POUF…

l'interrompit sèchement Vanilla. Dépêche-toi ou la pièce ne sera pas **dégagée** à temps pour notre leçon de gymnastique !

Celle qui devait leur dispenser ce c o u r s n'était autre que Jane Shaper, le coach particulier le plus en vogue du moment !

En plus d'être l'entraîneuse sportive la plus demandée des **STARS** de cinéma, c'était aussi l'égérie de la ligne « *Une crème, un sourire !* »,

LE COFFRE VA LÀ-BAS !

que venait de lancer l'entreprise de produits de beauté de la mère de Vanilla.

Et c'est grâce à l'intervention de Vissia de Vissen que la très OCCUPÉE Jane avait accepté de se rendre à Raxford pour offrir aux Vanilla Girls un cycle exclusif de séances de STEP !

– Hé, regardez ! dit Connie en se penchant à la fenêtre. Les grands amis des animaux vont bientôt partir !

– RIDICULES ! éructa Vanilla en jetant un coup d'œil à ses camarades patientant dans la cour.

– J'ai hâte de les croiser ce SOIR : nous serons dans une forme resplendissante, tandis qu'eux empesteront... ricana Zoé.

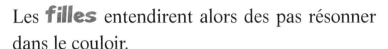

Les **filles** entendirent alors des pas résonner dans le couloir.

– Ce doit être Jane ! s'exclama Vanilla en courant **ouvrir** la porte. Mademoiselle, quel plais…
Mais elle s'arrêta net en découvrant que la **PERSONNE** qui venait les trouver n'était pas son coach particulier, mais… le recteur Octave Encyclopédique de Ratis !

– Vanilla ! Tu n'es pas encore prête pour aller au cabinet d'Olly ? déplora-t-il.

La jeune fille fronça les sourcils, et alors qu'elle s'apprêtait à lui annoncer qu'elle et ses amies ne comptaient pas se joindre aux Téa Sisters, le recteur ajouta :

– Mettre votre **temps** libre au service d'animaux en détresse est un geste très noble…

– Euh… *vraiment*… commença Vanilla, sans pouvoir, cette fois encore, aller jusqu'au bout de sa pensée.

– ... si noble, poursuivit imperturbablement le recteur, qu'en CONCERTATION avec le professeur Van Kraken j'ai décidé que cela vous vaudrait un point de plus à votre évaluation finale de *biologie* !

Tout en le regardant s'éloigner, Vanilla transforma l'équation :

AIDER LES ANIMAUX BLESSÉS = TEMPS PERDU

en

AIDER LES ANIMAUX BLESSÉS = UN POINT DE PLUS !

C'est la raison pour laquelle, en rentrant dans sa chambre quelques secondes plus tard, la jeune fille claironna :

– Alan, remets tous les meubles à leur place et préviens Jane Shaper que la leçon est annulée. Toutes chez Olly !

UNE CLINIQUE
TRÈS ANIMÉE !

Tandis que les Téa Sisters, Elly, Tanja, Craig, Shen, Vik et Ron franchissaient le portail de Raxford, prêts à vivre leur premier après-midi d'assistants vétérinaires, quelqu'un cria derrière eux :

– ATTENDEZ !!!

– Vanilla ?! Vous venez avec nous ? s'étonna Vik en voyant sa sœur et ses amies les rejoindre en COURANT.

– Nous avons pensé qu'Olly appré-cierait de pouvoir compter sur quelques brAs de plus ! expliqua sa sœur.

– Disons plutôt que ces quatre-là ont envie de profiter de quelques points de plus ! GLOUSSA Pam à l'oreille de Violet.

– Très juste ! Je ne savais pas que Vanilla aimait les animaux ! renchérit Violet.

Puis souriant à son amie, elle ajouta :

– Mais après tout elles ont raison : quelques volontaires de plus ne feront pas de mal !

Lorsqu'ils arrivèrent à la clinique « Compagnons en forme », Olly les attendait sur le pas de la porte.

Après les avoir salués, la vétérinaire les fit entrer dans une modeste salle d'attente aux murs couverts de PHOTOS d'elle avec toutes sortes de bêtes.

– De quoi s'agit-il ? s'enquit Nicky en s'approchant avec curiosité d'un panneau d'affichage débordant de feuilles de toutes les couleurs.

– Ah ça… ce sont les 𝕝𝕖𝕥𝕥𝕣𝕖𝕤 que les maîtres m'envoient

Chère Olly,

Merci d'avoir guéri la patte de Pistache ! Vous resterez toujours dans nos cœurs !

Paul

pour me remercier d'avoir aidé leur **compagnon**.

La VISITE se poursuivit avec la salle de consultation.

– C'est ici que j'examine

mes patients : il n'y a pas beaucoup de place, mais je me débrouille ! expliqua **FIÈREMENT** Olly. Et c'est là que séjournent certains pensionnaires spéciaux…

Tout en parlant, elle poussa une porte et mena le groupe dans une cour qui ressemblait fort à celle d'une FERME !

Dans un enclos se trouvaient Pythagore, un mulet souffrant de maux de ventre, ainsi que Bette et Davis, deux *brebis* aux pattes arthritiques. En face, Larry, Moe et Frisette, trois gros LAPINS au régime pointaient le nez hors de leur confortable clapier.

– Beaucoup de gens pensent que les vétérinaires ne soignent que les **CHIENS** et les CHATS… mais nous avons affaire aux animaux les plus divers ! fit remarquer la praticienne en couvant du regard ses protégés.

La présentation fut interrompue par le caril-
lonnement de la sonnette.

– Ce doit être un patient ! s'exclama Olly. Excusez-
moi, je vais ouvr...

– Ne vous dérangez pas, DOCTEUR, j'y vais !
claironna Vanilla, soucieuse de s'éloigner de
Bette et de Davis, qui frottaient leur tête bou-
clée contre ses jambes.

Sur ces mots, elle se rua à l'entrée et ouvrit à
une dénommée Marguerite, qui lui fit regretter
les attentions des deux brebis...

Ses hurlements de terreur retentirent jusque
dans la cour :

– **AAAAAHHHHHH !!!!**

Olly et les élèves se précipitèrent dans la salle
d'attente, où ils découvrirent Vanilla debout sur
une chaise, tentant désespérément d'échapper
aux câlins d'une affectueuse CHEVRETTE !

– Désolé, docteur, dit son maître, très **gêné**.
Je n'ai pas pu retenir Marguerite…
À la vue de Vanilla aux prises avec la **BIQUETTE**,
les Téa Sisters échangèrent un **REGARD** amusé :
les permanences à la clinique ne risquaient pas
d'être ennuyeuses !

Vétérinaires
en herbe

L'arrivée de la chevrette *confirma* les propos d'Olly : dans son travail, elle était amenée à s'**occuper** d'animaux de toutes sortes !

Les habitants de l'île s'étaient réjouis à juste titre de son **INSTALLATION** : dans sa clinique, leurs amis à poils, à plumes ou à écailles recevaient tous les **soins** voulus !

Dans les jours qui suivirent, les Téa Sisters et leurs camarades assistèrent Olly dans les **urgences** les plus diverses, aussi bien à son cabinet qu'à l'extérieur.

Aux côtés de la vétérinaire, les étudiants aidèrent une **CHIENNE** à mettre bas, contrôlèrent l'état

de santé d'un troupeau au pâturage, examinèrent une **famille** de hamsters et apprirent au
jeune possesseur d'un aquarium à NOURRIR
ses poissons correctement.

Les Téa Sisters et leurs amis se jetèrent tête bais-
sée dans cette **EXPÉRIENCE** sans s'accorder
le moindre instant de repos.

Dans les RARES moments où la fatigue prenait
le dessus, le frétillement de la queue d'un tou-
tou ou le **REGARD**
reconnaissant
de son maître
suffisaient à
leur redonner
l'ÉNERGIE
requise !
Les heures
passées avec
Olly furent

REGARDE
LES CHIOTS !

Souvenirs...
à quatre pattes !

Les hamsters sont trop drôles !

Pas de bonbons pour les poissons !

Qui a dit que les vaches n'étaient pas câlines ?

Nicky s'est fait une nouvelle amie !

ainsi fort remplies et DISTRAYANTES. On aurait même pu les qualifier de «parfaites», s'il n'y avait eu Vanilla…

INCORRIGIBLE VANILLA !

Alors que tous les autres étudiants s'efforçaient de s'occuper au mieux des pensionnaires d'Olly, Vanilla ne ratait pas une occasion de se PLAINDRE du travail à faire.

PFFF !

QUI PEUT NOURRIR PYTHAGORE ?

D'ailleurs, elle se **DÉBROUILLAIT** toujours pour disparaître quand on cherchait à lui **confier** une nouvelle tâche, petite ou grande.

Même la sympathie que lui témoignaient les animaux ne l'incitait pas à rendre service !

Cet après-midi-là, la jeune fille était, une fois de plus, décidée à tirer au flanc. Elle guettait la moindre opportunité de transformer ses heures de permanence en longs moments d'*OISI-VETÉ*. Or elle n'eut pas à attendre longtemps…

– Olly, si ça vous va, nous aimerions partir explorer le bois où nous avons trouvé Comète, proposa Nicky en finissant de nettoyer la table de consultation.

Depuis la nuit du passage de Poussière d'azur, le petit groupe s'était remis à battre la forêt en quête de la famille de la jeune renarde. Comète était en effet guérie et prête à retrouver la liberté.

– D'accord! répondit spontanément la vétéri-naire, puis elle fronça les sourcils. Quoique, il y a peut-être un PROBLÈME...

Elle s'apprêtait à sortir pour faire quelques visites à domicile; si ses ASSISTANTS béné-voles partaient eux aussi, il n'y aurait personne pour réceptionner la livraison du stock men-suel de produits pharmaceutiques, expliqua-t-elle.

– Dans ce cas, nous pouvons reporter nos RECHERCHES à demain, déclara Paulina, et...

Mais avant qu'elle ait eu le temps de finir sa phrase, Vanilla intervint :

– Inutile ! Alicia, Connie, Zoé et moi attendrons les *médicaments*, pas vrai, les filles ?

Les Vanilla Girls échangèrent un regard perplexe. Mais quand elles virent le signe de connivence que leur adressait leur amie, elles s'empressèrent d'acquiescer.

– Merci, Vanilla ! souffla Alicia dès qu'Olly et leurs camarades furent sortis. Je préfère rester à la CLINIQUE plutôt que de repartir sillonner la forêt !

– Sache que je n'ai pas l'intention de moisir ici ! annonça la jeune fille.

Sortant de son sac quatre BIKINIS dernier cri, elle expliqua :

– La première fois que nous sommes venues, j'ai remarqué un ravissant petit LAC à deux pas d'ici. Filons y faire BRONZETTE !

En un clin d'œil, les quatre filles enfilèrent leur
maillot de bain et abandonnèrent le CABINET,
sans même veiller à bien refermer la porte…

Qui se cache dans la forêt ?

– Vous pensez qu'on réussira à retrouver la **maman** de Comète ? demanda Paulina pendant que les Téa Sisters regagnaient la clinique à bord du ▒▒▒▒▒▒▒▒▒▒▒▒▒▒▒▒▒ de Pam. Jusque-là, la jeune fille n'en avait pas douté, mais après cette nouvelle recherche infructueuse, elle commençait à se **DÉCOURAGER**.

ON Y ARRIVERA !

– Bien sûr ! répondit Colette en passant un bras autour de ses épaules. La forêt est grande, il suffira de mieux chercher !

– La prochaine fois, nous emmènerons Comète, proposa Nicky, confiante. Si sa mère sent son odeur, c'est elle qui viendra à nous !

– BIEN VU ! conclut Pam en se garant devant chez Olly. Je suis certaine que la renarde remontera sa trace comme moi lorsque je flaire une PIZZA...

La jeune fille s'interrompit net.

– Pourquoi est-ce ouvert ? s'enquit-elle en fixant la porte d'entrée.

Elles pénétrèrent dans la clinique, qui se révéla **DÉSERTE**. Olly n'avait pas encore terminé ses visites et il n'y avait pas l'**OMBRE** d'une Vanilla Girl. Pour couronner le tout, Comète avait disparu : son enclos était vide !

Quand Ron, Shen, Tanja, Craig, Vik et Elly furent, eux aussi, rentrés du **BOIS**, tous passèrent l'établissement au peigne fin. Mais la jeune renarde ne se cachait ni dans la salle de consultation ni dans la cour parmi les autres **ANIMAUX**.

– Elle a dû s'enfuir ! s'exclama Violet.

– **Qui donc ?** s'enquit Vanilla en surgissant en compagnie de Connie, Zoé et Alicia.

– Comète, répondit Nicky d'une voix soucieuse. Mais vous, où étiez-vous passées ? Ne deviez-vous pas assurer la **permanence** ?

– En fait, nous sommes allées… euh… eh bien, chercher des **CAROTTES** pour Larry, Moe et Frisette ! s'empressa d'inventer Vanilla.

– Ah oui ? Où sont-elles ? Et surtout pourquoi avez-vous emporté vos maillots de bain ? rétorqua Pam, bouillonnante d'**INDIGNA-TION**.

OÙ ÉTIEZ-VOUS ?

Prises de court, Vanilla et ses amies BRE-DOUILLÈRENT des explications confuses.

– Ça suffit ! les coupa Paulina. Nous n'avons pas de temps à perdre : il faut mettre la main sur Comète !

Les Téa Sisters, Ron, Shen, Craig, Elly, Vik et Tanja se dispersèrent dans le périmètre voisin, en quête du moindre indice pouvant les mettre sur la trace de l'animal.

Et leur application se révéla payante ! Dans les buissons bordant une clairière, Nicky trouva la balle avec laquelle s'amusait leur proté-gée, puis, se frayant un chemin à travers les arbustes, la jeune renarde elle-même, qui regar-dait craintivement tout autour d'elle.

– Oh, ma mignonne… s'attendrit Colette en s'empressant de l'envelopper dans une couverture pour la ramener au cabinet. Tu es sortie jouer et tu t'es *perdue*, c'est ça ?

Or Comète n'était pas la **SEULE** à être en difficulté dans les parages. Alors que le groupe faisait DEMI-TOUR, Violet s'immobilisa pour écouter.

– Attendez ! dit-elle. Vous entendez ce BRUIT ?

Les autres tendirent l'oreille et, au bout de quelques instants, perçurent un faible : FLAP! FLAP! **FLAP!**

AH, TU ES LÀ !

En se concentrant, ils parvinrent à détecter la provenance du son, et découvrirent avec surprise qu'il émanait d'un magnifique **per-roquet** aux plumes jaunes, bleues et vertes. L'oiseau, qui se tenait par terre, bougeait une seule aile, et encore difficilement. À l'évidence, il ne pouvait plus **voler** !

UN AMi
À PLUMES !

Après avoir délicatement enveloppé le perroquet dans la veste de Craig, le petit groupe l'emmena à la clinique pour le faire soigner par Olly.

– Pauvre bête, elle a une aile cassée ! s'exclama la vétérinaire à la vue du volatile.

L'examinant scrupuleusement, elle ajouta :

– Et elle est **SOUS−ALIMENTÉE**…

Olly expliqua à ses assistants qu'il s'agissait d'un mâle de l'espèce des aras araraunas, qui avait dû, encore très récemment, bénéficier des soins d'un propriétaire prévenant.

– Les oiseaux qui ont toujours vécu dans une cage n'ont pas appris à trouver à manger, comme leurs semblables en LIBERTÉ... observa Nicky.

– Exact ! confirma Olly. Et s'il leur arrive de perdre leur maître, ils ne savent pas comment se NOURRIR !

La vétérinaire s'empressa toutefois de les rassurer : avec le traitement *approprié*, ce perroquet serait bientôt en parfaite santé !

ET MAINTENANT TON REPAS !

Comme Olly l'avait prévu, au bout de quelques jours, Miel, **BAPTISÉ** ainsi à cause du jaune doré de son poitrail, se mit à récupérer à la vitesse de l'éclair. Et tout en reprenant des forces, il se révéla d'un caractère gai et enjoué !

Friand de pommes et de graines de tournesol, *Miel* aimait la compagnie et passait des HEURES à trottiner dans la volière de la cour, près des autres patients d'Olly.

Bientôt vint le

TU AS FAIM ?

moment de dire adieu au bandage et d'essayer de voler !

– *Croisons les doigts...* murmura Colette, pendant qu'Olly libérait l'aile du **perroquet**.

Immédiatement après, la vétérinaire le ramena dans la volière. Sous le regard des Téa Sisters et de leurs **amis** qui retenaient leur souffle, l'oiseau fit quelques pas, puis déploya ses grandes ailes bleues et se mit à **VIREVOLTER** dans la cage.

– Bravo, Miel ! s'écria Pam en applaudissant. Tu es guéri !

Après avoir savouré les ovations de ses sauveteurs, l'oiseau finit de les ÉTONNER en exhibant une agilité d'**acrobate** éprouvé !

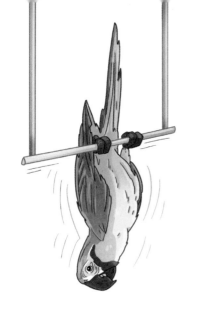

Perché sur un trapèze, il bascula en arrière jusqu'à se retrouver tête en bas, position dans laquelle il commença à se **balancer**.

Après s'être redressé, il PLANA jusqu'au sol, se posa et roula par terre !

Et ce n'était pas fini : Miel réservait à ses nouveaux amis une surprise plus grande encore...

UN PERROQUET BAVARD !

Le lendemain MATIN, Miel se montra plein d'entrain. La veille, en lui proposant quelques AMANDES pour son goûter, Olly avait découvert non seulement qu'il en raffolait mais qu'il aimait les TENIR dans sa patte !

Pour l'heure, perché sur un trapèze de la VOLIÈRE, le perroquet suivait attentivement chaque mouvement des Vanilla Girls. Cette fois, les quatre amies n'avaient pas réussi à esquiver leur tour de nettoyage du clapier de Larry, Moe et Frisette.

– Comment DÉCRASSE-t-on… ça ? grommela

Vanilla en contemplant dubitativement la cabane en bois des lapins.

– Je crois qu'il faut changer leur EAU et la paille au sol… hasarda Connie.

Vanilla écarquilla les **YEUX**.

– Comment ?! Toucher de mes mains la litière de ces trois boules de POILS ? Pas question ! Non, non et non !

– Non, non et non ! **Chipie** !

Vanilla se tourna brusquement vers l'oiseau.

Miel la regarda avec ses yeux ronds, et de sa voix rauque, répéta :

NON, NON ET NON !

– Chipie !

– Comment oses-tu, piaf de carnaval ?! s'exclama Vanilla, vexée. Je ne suis pas une…

– Chipie ! Chipie ! Chipie ! insista le volatile.

La prise de bec entre la jeune fille et le perroquet se poursuivit jusqu'au moment où, ALERTÉS par leur chahut, Olly et ses assistants se précipitèrent dans la cour.

– Vanilla, CALME-toi ! intervint la vétérinaire, amusée. Miel n'a pas voulu t'offenser ! Les perroquets REPRODUISENT à merveille les mots qu'ils entendent souvent, mais sans comprendre leur sens !

Et le vocabulaire du patient à plumes ne se limitait pas à « chipie ».

Lorsqu'un peu plus tard Violet lui proposa un peu d'EAU, Miel croassa en guise de réponse : « *Merci, pitchoune !* », ce qui en *provençal* signifie « Merci, petite ! », comme l'expliqua Colette.

Mais le perroquet avait aussi d'autres talents…
Il entonna, ce jour-là, une douce ritournelle aux
paroles **ROMANTIQUES** :

APPELÉ PAR SON CŒUR BATTANT...

– *Le vent de la mer a soufflé,*
Je puis rentrer à présent.
Je mets le cap vers mon aimée,
Appelé par son cœur battant...

– De qui tiens-tu cette belle chanson ?
DEMANDA Violet.
Le volatile se contenta de la **FIXER** en silence.
– Ton maître t'a bien instruit... observa *pen-sivement* Paulina. Mais s'il avait pensé à t'apprendre son nom, nous saurions peut-être comment retrouver ta maison...

Un chant du passé

Cette nuit-là, Paulina continua à penser à la ritournelle du perroquet, qui CHANTAIT le retour au foyer. «Débusquer la maman de Comète n'est pas facile, car sa tanière pourrait être bien CACHÉE, songea-t-elle en se retournant dans son lit. Mais le maître de Miel vit assurément dans l'île. Il faut tâcher de l'identifier!» Lorsqu'à l'HEURE du petit déjeuner elle retrouva ses amies à la cantine, elle leur annonça sa décision de commencer à chercher le PROPRIÉTAIRE de l'oiseau.

– Vous m'aiderez? demanda-t-elle, après avoir exposé ses intentions.

– PAR MILLE BIELLES DÉBIELLÉES ! s'exclama
Pam en agitant devant elle une petite cuillère
maculée de **CONFITURE**. Tu peux y compter !

– Ah, si seulement Miel pouvait nous dire
OÙ habite son maître ! murmura Shen dans un
soupir.

– Il nous a quand même fourni quelques informations ! observa Nicky. Ce qu'il a dit doit nous servir d'**INDICES** !

Les Téa Sisters et leurs camarades se mirent à réfléchir. Comme le volatile répétait le mot « **chipie** », il devait y avoir quelqu'un, dans son entourage, qui se faisait souvent appeler ainsi.

– Ça ne RÉDUIT pas beaucoup le champ des possibilités... De temps à autre, tout le monde a affaire à des **chipies** ! ironisa Colette en tournant les yeux vers Vanilla.

Confortablement installée, la jeune fille attendait que Connie lui apporte son plateau.

Le fait que Miel connaisse quelques mots de français ne les avançait pas beaucoup plus...

La solution résidait donc dans la **CHANSON**.

– Examinons ses paroles, proposa Violet. Elle

évoque quelqu'un qui vit **loin** de la personne aimée…

– Et pour la rejoindre, poursuivit Ron, il doit mettre le cap dans une certaine **DIRECTION**…

– C'est une manœuvre de navigation ! fit observer Elly. Ce chant pourrait appartenir au répertoire des gens de **MER**…

Les étudiants assis autour de la table se regardèrent en silence ; soudain, leurs visages s'éclairèrent et ils s'exclamèrent en chœur :

– **TOUS AU PORT !**

À la fin des cours, les Téa Sisters décidèrent donc d'aller sur la jetée en compagnie de leurs amis avant de se rendre à la clinique vétérinaire.

Dès leur arrivée, ils repérèrent une tête **CONNUE**.

– Léopold ! appela Elly en s'approchant du jeune pêcheur. Peut-être pourras-tu nous aider…

Après avoir entendu l'histoire du perroquet
perdu et de sa chanson, celui-ci hocha la tête.
– J'ai le rongeur qu'il vous faut : Pancrace !
Les étudiants trouvèrent l'intéressé au bout du quai, occupé à ramender un filet.
– Excusez-nous, monsieur, commença Nicky, on nous a dit que vous connaissiez de nombreux CHANTS de marins…
– Avez-vous déjà entendu celui-ci ? demanda Paulina en entonnant : Le vent de la mer a soufflé, Je puis rentrer à présent…
En entendant ces paroles, le pêcheur sourit et se joignit à la jeune fille pour interpréter la suite :

– Je mets le cap vers mon aimée, Appelé par son cœur battant…

– Alors, vous est-elle familière ? le pressa Pam.

– Bien sûr ! confirma Pancrace. C'est ce que chantait toujours le capitaine Marcel !

– Pourriez-vous nous dire où il demeure ? s'enquit Colette, pleine d'espoir.

– Là où il a toujours vécu, j'imagine, répondit le vieillard. À Nice, dans le sud de la France !

Un indice décisif !

Assis sur le PARAPET, Pancrace évoqua, pour les étudiants de Raxford, l'époque où, guère plus grand qu'un enfant, il hantait le port en rêvant de devenir PÊCHEUR comme son père. C'était durant ces heures où il **OBSERVAIT** les marins qu'il avait connu le capitaine Marcel.

– Il était très distingué, se rappela le rongeur. Chaque fois que son bateau passait dans les parages, il ne pouvait résister à la tentation de faire escale dans notre île pour s'y promener… Il disait qu'elle était magique ! Je ne l'ai pas vu depuis plusieurs dizaines d'années : je suppose qu'arrivé à l'âge de la retraite il a cessé de **VOYAGER**...

– N'y a-t-il pas un détail qui vous revienne à son propos ? demanda Violet. Quelque chose qui puisse nous aider à le retrouver ?

Pancrace réfléchit un instant.

– Eh bien, je peux vous dire qu'il avait une **FILLE** ! Je le sais parce qu'il

l'a emmenée ici une fois. Elle s'appelait *Juliette* ! Après avoir remercié le vieux rongeur, les Téa Sisters saluèrent leurs amis et gagnèrent la clinique « Compagnons en forme », où c'était leur tour de jouer les bénévoles. Une fois sur place, elles tentèrent de faire le point de la situation.

– Et si nous demandions à la capitainerie du port ? suggéra Pam. Elle doit avoir un ⬜r⬜e⬜g⬜i⬜s⬜t⬜r⬜e⬜ des bateaux qui mouillent ici et des capitaines qui les commandent !

– **Bonne idée !** s'exclama Colette. Je l'appelle immédiatement !

ALLÔ ?

Mais avant même que la jeune fille ait eu le temps de saisir le **COMBINÉ**, le téléphone d'Olly se mit à 𝓈𝑜𝓃𝓃𝑒𝓇.

– Allô ? répondit Colette.

En entendant ce mot, Miel, qui jusqu'alors s'était tenu sur son perchoir sans broncher, retrouva sa **pétulance**.

– Allô ? Allô ? croassa-t-il. Allô, le *Zanzibazar* ? C'est madame Juliette !

– Juliette ? C'est le prénom de la *fille* du capitaine Marcel ! s'écria Paulina, stupéfaite.

– Toutes au **Zanzibazar** ! lança spontanément Nicky. Je sens que nous sommes sur la bonne voie !

BIEN SÛR QUE JE LA CONNAIS !

En moins de temps qu'il n'en faut pour le dire, les Téa Sisters se précipitèrent au magasin le plus fourni de toute l'île.

À l'extérieur, la propriétaire, Tamara, s'affairait sur le moteur de sa camionnette de livraison à domicile.

– Bien sûr que je connais madame Juliette : c'est une fidèle cliente ! Elle habite de l'autre côté de l'île, leur apprit celle-ci. Je devrais d'ailleurs lui LIVRER ses emplettes, mais mon carrosse fait des caprices !

– On peut les lui déposer ! proposa Pam sans y réfléchir à deux fois. Et ne t'inquiète pas pour ton problème mécanique, je m'en chargerai plus tard !

Suivant les indications de Tamara, les cinq filles ROULÈRENT vers le nord et finirent par arriver devant une grande villa, au cœur d'une zone peu habitée.

– Pourvu qu'elle soit chez elle ! dit Nicky en LORGNANT à travers l'imposant portail en fer forgé.

– *Sonnons !* décida Paulina.

Les Téa Sisters examinèrent la grille, mais pas d'**interphone** ! Après quelques minutes de recherches infructueuses, elles capitulèrent.

– *Et maintenant, que fait-on ?!* se désola Paulina.

S'appuyant contre le portail, elle s'aperçut que ses battants avaient été simplement repoussés. De fait, sous sa pression, ils s'**écartèrent** !

UN REFUGE
SÛR

– **Peut-on entrer ?** cria Paulina en franchissant la grille et en risquant un œil dans le parc qui s'étendait devant elle.

Faute de **RÉPONSE**, les cinq amies s'aventurèrent dans l'allée menant à la maison en **QUÊTE** de la propriétaire.

QUELLE MERVEILLE !

– Quel endroit magnifique! s'exclama Violet en admirant la végétation foisonnant tout autour de la villa.

– C'est vrai, le parc est splendide, convint Nicky, mais j'ai une drôle d'**IMPRESSION**... Je ne sais pas comment l'expliquer, mais... je me sens comme observée !

Paulina sursauta.

– Quoi ?! **OBSERVÉE ?** Mais par qui ?!

– Pas de panique, ce n'est qu'une sensation ! répondit Nicky avec un grand sourire.

Les filles poursuivirent leur chemin, mais alors qu'elles s'apprêtaient à GRAVIR le perron, une douce mélodie retint leur attention.

– Le vent de la mer a soufflé... fredonnait une voix féminine à

LE VENT DE LA MER...

quelque distance. *Je puis rentrer à présent...*

Les Téa Sisters firent aussitôt demi-tour et suivirent le chant jusqu'à une **ROSERAIE** en fleur, où elles trouvèrent une rongeuse occupée à ARROSER les plantes.

BIENVENUE!

– Enfin, vous voici ! se réjouit madame Juliette
en apercevant ses visiteuses. Bienvenue !

– Vous… nous ATTENDIEZ ? s'étonna Pam.

– Bien sûr ! répliqua la maîtresse des lieux en
posant son ARROSOIR et en retirant ses gants.
Tamara m'a appelée tout à l'heure pour me dire
qu'elle avait des **problèmes** avec sa camionnette, en précisant que cinq de ses **amies** se
chargeraient de la livraison !

La vieille dame fit preuve d'une gentillesse exquise : elle INVITA immédiatement les Téa Sisters à s'asseoir sur les bancs qui entouraient la tonnelle pour boire un verre de *limonade*.

– Madame Juliette, pouvons-nous vous demander d'où vous venez ? l'interrogea Colette.

– Mais comment donc ! dit leur hôtesse. Je suis née en France, à Nice !

– Et qu'est-ce qui vous a amenée à vous installer ici ? demanda Paulina.

– Sachez que mon père était commandant de *navire*, raconta la vieille dame. Un jour,

JE SUIS NÉE EN FRANCE !

quand j'étais **ENFANT**, il m'a emmenée sur cette île. Sa beauté m'a tant émerveillée que j'ai décidé de venir y vivre avec mes animaux, quand je serais grande. Et c'est ce que j'ai fait !

– Vos **ANIMAUX** ?! répéta Violet en regardant tout autour d'elle.

Leur hôtesse éclata de RIRE.

– À l'époque, je n'avais qu'un hamster et un poisson rouge, mais au fil des années le cercle de mes amis s'est élargi !

Sur ces mots, elle SIFFLA trois fois. Pendant quelques secondes, tout resta immobile et silencieux, puis des BUISSONS sortirent, une à une, des bêtes de toutes sortes : des chiots, une famille de putois, un lièvre et même un faon !

– Voilà pourquoi je me sentais **ÉPIÉE** ! nota Nicky, amusée.

Devant l'étonnement des cinq amies, *madame*

Juliette expliqua qu'elle avait toujours aimé les animaux. Depuis qu'elle habitait cette maison perdue dans la NATURE, il lui arrivait souvent d'en découvrir un en détresse.

– Je leur viens en aide… et souvent ils finissent par rester ici. En vous promenant dans le parc, vous en croiserez bien d'autres !

Profitant de la distraction de la vieille dame, un CANICHE blanc posa les pattes sur la petite table pour essayer de chiper un biscuit.

– Ne touche pas aux GÂTEAUX, pitchoune ! gronda madame Juliette en prenant la petite chienne dans ses bras.

Puis, lui caressant affectueusement le museau, elle ajouta :

– Non, non et non, chipie ! Cela ne se fait pas !

En l'entendant, les Téa Sisters échangèrent un

regard entendu : c'étaient les mots prononcés par *Miel* !

– Madame Juliette, pour tout vous dire, déclara alors Nicky, nous sommes **VENUES** pour rendre service à Tamara, mais pas seulement...

UNE NOUVELLE AMIE

Lorsqu'elle découvrit que les cinq **amies** étaient là parce qu'elles avaient retrouvé son perroquet, madame Juliette se sentit ÉMUE aux larmes.

– Jeunes filles, quelle joie vous me faites !

Miel, qui en réalité s'appelait *Amande* à cause de sa **passion** pour ce fruit, vivait avec la vieille dame depuis **bien** des années.

– Pour être précise, depuis que j'ai emménagé ici ! raconta celle-ci. J'étais si inquiète pour lui… Je l'ai cherché **partout** !

– Ne vous en faites pas, la rassura Colette. Nous l'avons confié à une excellente VÉTÉRINAIRE, qui l'a soigné avec le plus grand dévouement, si bien qu'il est maintenant en pleine forme !

En un clin d'œil, leur hôtesse quitta sa tenue de jardinière et, après avoir salué ses animaux, demanda aux Téa Sisters de la conduire auprès de son ami à plumes.

Les **RETROUVAILLES** entre Amande et sa propriétaire furent très TOUCHANTES. À la vue de madame Juliette, le perroquet abandonna son perchoir de la salle d'attente pour *VOLER* jusqu'à elle. Il se posa sur son bras et se mit à couvrir de baisers l'une de ses joues !

Alertée par leurs effusions, Olly pointa le nez hors de la salle de consultation.

– C'est vous, les filles ?

– Vous devez être celle qui a SOIGNÉ mon très cher Amande ! s'exclama *madame Juliette* en allant vers Olly. Merci du fond du cœur !

– Je ne crois pas avoir fait quoi que ce soit d'EXCEPTIONNEL… répondit la vétérinaire en rougissant.

QUELLE JOIE DE TE REVOIR !

– Pour moi, si ! affirma sa visiteuse.

Puis se tournant vers son oiseau, elle l'encouragea :

– Allez, *Amande*, remercie le docteur !

En entendant les mots de sa maîtresse bien-aimée, le perroquet émit un petit **croasse-ment** joyeux et dit :

– Merci infiniment !

Olly éclata de rire et caressa le volatile.

– Je sais maintenant de qui tu tiens tes bonnes manières !

Après de plus amples présentations, la vétérinaire et les Téa Sisters firent visiter à *madame Juliette* la petite clinique.

Ravie de faire la connaissance des patients en CONVALESCENCE dans la cour, la vieille dame se lança dans une longue conversation avec sa jeune hôtesse.

– D'après moi, elles vont devenir **amies** ! dit Violet en les observant.

– Et ensemble elles veilleront sur tous les **ANI-MAUX** de l'île ! se prit à rêver Nicky sans savoir que madame Juliette *RÉFLÉCHISSAIT* à une idée très proche.

Quand il fut temps de rentrer, la **VIEILLE** dame déclara ainsi à la vétérinaire :

– Olly, votre amour des bêtes m'a fait

MERCI INFINIMENT !

une forte impression. Je vous **PROPOSE** de faire de ma villa le nouveau local de « Compagnons en forme » !

Son interlocutrice écarquilla les yeux, incrédule.

– Pardon ?!

– Regardez ce que vous parvenez à faire dans un endroit aussi **PETIT** ! dit madame Juliette en écartant les **bras**. Maintenant, imaginez combien d'animaux vous pourriez secourir si vous aviez plus d'espace ! Moi et mes **compagnons** serions honorés de vous accueillir... Alors, qu'en dites-vous ?

Olly la regarda en silence, puis avec un **SOU-RIRE** épanoui, répondit :

– Que vous dire sinon... *merci infiniment !*

Au travail !

Le lendemain, les Téa Sisters et leurs amis accompagnèrent Olly dans sa visite de ce qui deviendrait le nouveau site de « Compagnons en forme ».

– Madame Juliette a dit que sa propriété est plus vaste que ma CLINIQUE. Vous qui l'avez déjà vue, dites-moi : y a-t-il une grande différence ? Pensez-vous que nous pourrons avoir deux clapiers au lieu d'un ? s'enquit la vétérinaire en marchant vers le portail de la villa.

– Eh bien… commença Nicky en poussant la grille et en montrant à la VÉTÉRINAIRE la vaste villa et l'immense parc qui s'étendait tout autour, il me semble qu'il y a assez de place pour tous les clapiers que l'on peut DÉSIRER !

Bouche bée, Olly ne répondit pas.

Mais Colette se chargea de la relancer.

– Avez-vous déjà décidé où vous installerez l'étable et l'écurie ? lui demanda-t-elle avec un SOURIRE.

Transformer une maison en établissement médical

ESPACE À VOLONTÉ !

réclamait de l'organisation et de la motivation. Dans les jours qui suivirent, Olly et madame Juliette eurent la chance d'être secondées par une équipe **infatigable**... Et cette fois, même les Vanilla Girls travaillèrent sans rechigner !

Sous la direction de *madame Juliette*, Colette, Ron, Violet, Vik et Vanilla se chargèrent d'aménager la nouvelle salle d'attente. Ils la décorèrent avec les photos d'Olly et les l e t t r e s qu'elle avait reçues, et la garnirent de sièges colorés, mais aussi d'écuelles dans lesquelles les patients pourraient se *désaltérer* !

De leur côté, Nicky, Tanja, Alicia et Zoé aidèrent Olly à équiper la nouvelle salle de consultation. Comme celle-ci était plus spacieuse, elle pouvait accueillir bien plus d'appareils, permettant de fournir aux futurs usagers des prestations particulièrement efficaces !

Quant à Pam, Craig, Shen, Elly et Connie, ils arrangèrent le périmètre extérieur, où seraient accueillis les ANIMAUX ayant besoin de plus d'espace, comme Pythagore, Bette, Davis et Marguerite.

– Bien joué, Olly ! s'exclama Pam quand les constructions destinées au bétail furent prêtes. Dans un environnement aussi accueillant, avec autant de verdure et de place pour COURIR, vos pensionnaires guériront plus vite !

Mais il manquait encore un détail...

– Olly ! Madame Juliette ! appela Nicky à la fin

de la dernière journée d'installation. Nous aimerions vous **MONTRER** quelque chose…

Les étudiants les accompagnèrent à l'entrée.

– Qu'y a-t-il là-dessous ? s'enquit la vétérinaire en désignant le **DRAP** qui couvrait le portail.

– Un petit cadeau de notre part ! répondit Colette.

Et elle dévoila l'enseigne redessinée de « **COMPA-GNONS EN FORME** » !

Bienvenue chez « Compagnons en forme » !

Après **TOUT** ce travail vint enfin le jour de l'inauguration ! Dans le parc de la villa, qui était désormais à leur disposition, les **PENSION-NAIRES** d'Olly commencèrent à sympathiser avec les amis de *madame Juliette*. Et comble de la joie, certains habitués de « Compagnons en forme » arrivèrent avec leurs maîtres pour remercier leur **VÉTÉRINAIRE** !

– Quelle magnifique journée ! s'exclama Olly, radieuse. Aujourd'hui, mes patients viennent me voir pour s'**amuser** et non pour être soignés !

Malgré la gaieté ambiante, quelqu'un semblait *chagriné*...

– Qu'y a-t-il, Paulina ? Tu as l'air triste... s'enquit Nicky en s'approchant de son amie, qui regardait Comète jouer dans son nouvel enclos.

– Ce n'est rien... fit celle-ci en haussant les épaules. Je me disais juste que nous n'avons pas encore réussi à retrouver sa **maman**...

– Pas question d'abandonner ! la rassura Nicky. Dès demain, nous reprendrons les recherches et...

La jeune fille s'interrompit, car, dans un buisson, quelque chose bougeait, comme si un animal tentait de se frayer un chemin à travers le feuillage... Ce qui était bel et bien le cas !

Une renarde au poil fauve surgit, suivie de deux petits. La bête flaira attentivement autour d'elle.

Lorsqu'elle vit Comète, elle s'ÉLANÇA vers

elle, franchit d'un bond la clôture et se mit à la lécher affectueusement.

– Regardez, elle a retrouvé sa famille ! exulta Paulina.

Contemplant leur jeune protégée, Colette déclara :

– Grâce à la nouvelle CLINIQUE d'Olly, il y a d'ores et déjà davantage de compagnons en forme... ET SURTOUT HEUREUX !

TABLE DES MATIÈRES

DANS LA MÊME COLLECTION

17

18

19

Et aussi...

Le Prince de l'Atlantide

Le Secret des fées du lac

15

16

17

ÎLE
DES BALEINES

L'île des Baleines

1. Pic du Faucon

2. Observatoire astronomique

3. Mont Ébouleux

4. Installations photovoltaïques pour l'énergie solaire

5. Plaine du Bouc

6. Pointe Ventue

7. Plage des Tortues

8. Plage Plageuse

9. Collège de Raxford

10. Rivière Bernicle

11. *L'Antique Cancoillotterie,* restaurant et siège des *Messageries Ratiques — Transports maritimes*

12. Port

13. Maison des Calamars

14. *Zanzibazar*

15. Baie des Papillons

16. Pointe de la Moule

17. Rocher du Phare

18. Rochers du Cormoran

19. Forêt des Rossignols

20. Villa Marée, laboratoire de biologie marine

21. Forêt des Faucons

22. Grotte du Vent

23. Grotte du Phoque

24. Récif des Mouettes

25. Plage des Ânons

1. Terrain de jeux
2. Appartements des professeurs
3. Club des Lézards noirs
4. Jardin
5. Tour du Sud
6. Club des Lézards verts
7. Bureau du recteur
8. Jardin des herbes aromatiques
9. Tour du Nord
10. Réfectoire
11. Amphithéâtre
12. Escalier des cartes géographiques